Il Gatto con gli Stivali

e altre storie di gatti

raccontate da Tiziana Merani
illustrate da Emma Chichester Clark

MONDADORI

Il nostro indirizzo Internet è:
ragazzi.mondadori.com/libri

Si ringraziano Marisa Dolci e Renato Parisi della Fondazione AIDA Centro Teatro Ragazzi, Verona,
per la consulenza relativa alla "lettura a voce alta".

Redazione di Maria Vittoria Chiaramonti
Impaginazione di Marina Bassi
Prima edizione ottobre 2000
Stampato presso le Artes Graficas Toledo S.A., Toledo (Spagna)
Gruppo Mondadori
ISBN 88-04-48429-2
D.L. TO: 1657 - 2000

NOTA PER IL LETTORE

Nello scegliere di pubblicare fiabe dando particolare rilievo
alla lettura, si è posta la massima cura nella scansione di ogni pagina.
Il respiro, l'intensità, il ritmo, il peso emotivo delle parole
sono sottolineati dalla scelta dei caratteri tipografici.
Non si tratta però di un modello rigido o prestabilito,
è soltanto una interpretazione tra tante altre.
Si è giocato con la forma e la grandezza del carattere, con il neretto,
il movimento del testo, gli spazi bianchi, per creare silenzi,
interruzioni, suggerire un ritmo piú o meno incalzante.
La forma del carattere, dolce o aggressiva, può, per esempio,
suggerire l'indole del personaggio narrato, mentre il neretto può
semplicemente sottolineare una parola o un'espressione,
non deve per forza essere letto con voce molto alta, con enfasi
dal bambino o da chi racconta.
Fiabe classiche, quindi, da leggere tutte d'un fiato o da scandire
e centellinare, mattina o sera, a seconda dell'umore.

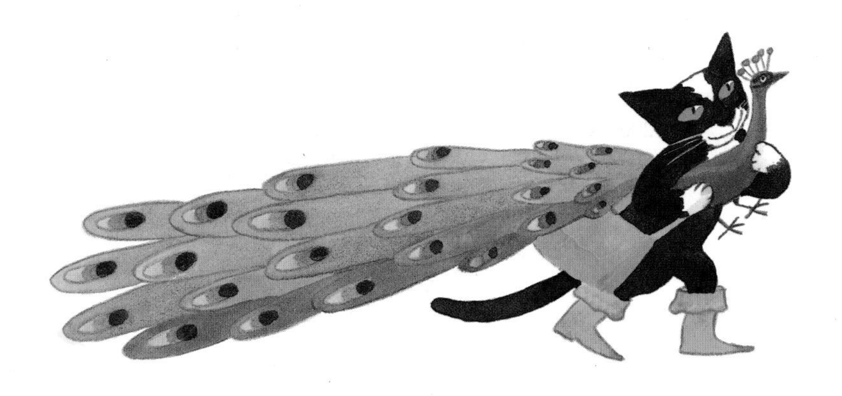

Sommario

Il Gatto con gli Stivali

VOLETE LEGGERE LA STORIA DI UN GATTO DAVVERO SPECIALE?
BENE, ALLORA VE LA RACCONTO.

Dovete sapere che tantissimi anni fa
un mugnaio aveva lasciato
in eredità ai propri figli
un mulino, un asino e un gatto.
Al **maggiore** dei tre ragazzi
era toccato il **mulino**,
al **secondo** l'**asino**
e al **terzo** il **gatto**.

DOPO la morte del padre, i due fratelli piú grandi
si erano messi in società, per continuare l'attività del genitore.
Il fratello piú giovane, invece, quello a cui era toccato il gatto,
si chiedeva sconsolato cosa mai era passato per la testa
al suo povero padre, quando aveva deciso di lasciargli
quella strana eredità.

«Capirei se m'avesse lasciato una **mucca** o delle **galline**,
almeno avrei avuto latte o uova assicurate» continuava a ripetere.
«Ma un gatto! Che me ne faccio d'un gatto?
Tutt'al piú potrei mangiarlo e ricavare dalla sua pelliccia
un colletto per il cappotto...»

«Ehi, ehi! Andiamoci piano con questi discorsi»
disse **il gatto**, che lo aveva udito lamentarsi.
«A mangiarmi ci ricavi proprio poco,
non sono che un mucchio di pelle e ossa.
E poi, credi a me, ti sarò molto piú utile
da vivo che da morto!»

«Be', datti da fare, allora» disse **il giovane**.
«I miei risparmi stanno per finire
e se non trovo un lavoro al piú presto,
mi toccherà andare a chieder l'elemosina.»

«Quante storie» sbuffò il gatto.
«Smettila di lamentarti e procurami **un sacco**
e **un paio di stivali** per andare nel bosco.
Entro un mese al massimo capirai quanto sei stato fortunato a ereditare me!
Valgo molto di piú di un asino e di un mulino,
te l'assicuro!»

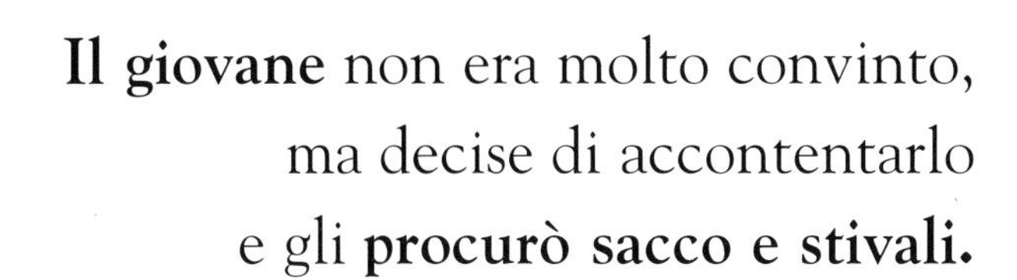

Il giovane non era molto convinto,
ma decise di accontentarlo
e gli **procurò sacco e stivali.**

«Perfetto!»
disse il gatto guardandosi
allo specchio,
dopo aver calzato
i lunghi stivaloni di cuoio.

«Con questi farò meraviglie.»
Poi si mise il sacco sulle spalle *e uscí di casa.*

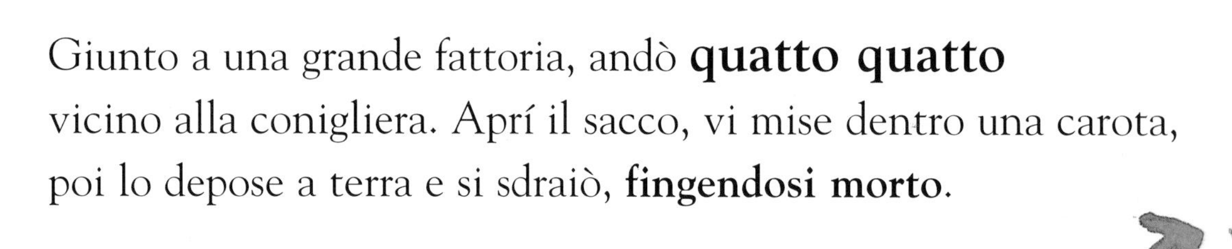

Giunto a una grande fattoria, andò **quatto quatto** vicino alla conigliera. Aprí il sacco, vi mise dentro una carota, poi lo depose a terra e si sdraiò, **fingendosi morto**.

POCHI MINUTI DOPO un paio di **conigli**, attirati dalla carota, s'infilarono **nel sacco**.

Svelto come un lampo
il gatto chiuse il sacco, poi, tutto soddisfatto, **si diresse alla reggia.**

Arrivato ai cancelli del palazzo
disse ai soldati che aveva
un **dono per il re** da parte del
marchese di Carabas, suo padrone,
e quelli lo condussero dal sovrano.

«Ecco per voi, Maestà,
due conigli da parte del mio padrone,
il marchese di Carabas»
disse il gatto, facendo un inchino.
Il re, compiaciuto, accettò i conigli
e ringraziò.

DOPO UN PAIO DI GIORNI il gatto riuscí a catturare
due belle **pernici grasse**. Per la seconda volta si presentò al re,
e le offrí come omaggio del marchese.

PER UN MESE CIRCA
continuò a presentarsi alla reggia
ogni due o tre giorni,
portando doni.

Il re diventava sempre piú curioso
e non vedeva l'ora di incontrare
il misterioso marchese.
Ma il gatto non voleva
che il sovrano vedesse
il suo padrone vestito poveramente.
Sentite allora cosa escogitò.

Tra il re e il gatto era nata una certa confidenza
e un giorno l'animale venne a sapere che il sovrano si sarebbe recato
a passeggio con la figlia, lungo la riva del fiume che attraversava la vallata.

Trafelato, corse a casa dal suo padrone e lo obbligò a seguirlo. «**Vieni, presto. Devi spogliarti e gettarti nel fiume**» gli disse. «**Tra poco la carrozza del re passerà da queste parti.** Fingerai di essere stato derubato dei vestiti mentre facevi il bagno, e… **ricorda**, il tuo nome è **marchese di Carabas!**»

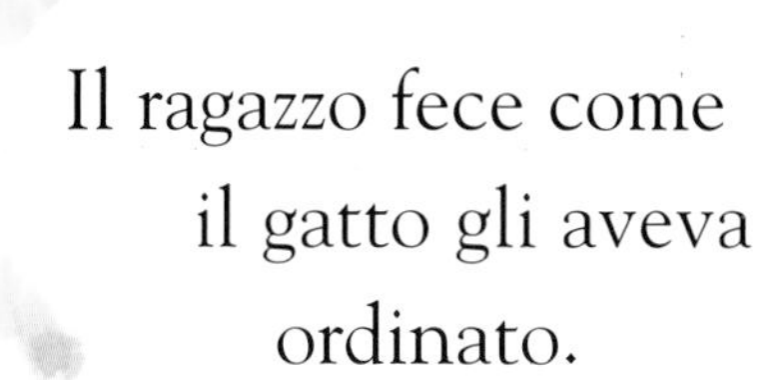

Il ragazzo fece come il gatto gli aveva ordinato. Si spogliò, si gettò nel fiume e, al segnale del gatto, iniziò a urlare: «**Aiuto! Aiuto! Al ladro! Mi hanno derubato!**»

NEL FRATTEMPO il gatto nascose i miseri abiti del suo padrone dietro a un cespuglio e poi corse verso la carrozza del re **gridando a sua volta aiuto.**

Il re riconobbe il gatto, fece fermare immediatamente la carrozza e diede ordine alle guardie di andare a **soccorrere il marchese di Carabas.**

Il gatto intanto spiegava al re che, mentre il suo padrone faceva il bagno nel fiume, un gruppo di **ladri armati fino ai denti lo aveva derubato di vestiti, cavallo e denaro.**

«**Brutti ceffi, Maestà!**»
raccontava con voce addolorata.
«Ho temuto che volessero uccidere
il mio generosissimo padrone.
E adesso è completamente nudo,
Maestà!
Non gli hanno lasciato
nemmeno il mantello!»

«**Niente paura**, caro amico» disse il re.
«Le mie guardie andranno a palazzo
a prendere **uno dei miei abiti**
per il marchese. È il minimo
che possa fare **per sdebitarmi**
con un uomo che è stato
tanto gentile nei miei confronti!»

Quando **il giovane** ebbe indossato gli abiti del re, finalmente **si avvicinò alla carrozza** per fare la conoscenza del sovrano e della sua figliola.

Il ragazzo, che era simpatico
e di bell'aspetto,
con quegli abiti sfarzosi
faceva
un figurone
e **piacque**
immediatamente
alla principessa.
Il re invitò il marchese
e il suo gatto a trascorrere
qualche giorno
nel suo palazzo.

«**Purtroppo** io devo sbrigare
affari urgenti per il mio padrone»
disse il gatto.
«Ma sono sicuro che
il marchese sarà lieto
di accettare il vostro invito.»

«**Lietissimo!**» disse il giovane, voltandosi
a guardare la principessa, di cui era praticamente
già **innamorato**.

Cosa aveva in mente ancora
il nostro Gatto con gli Stivali?

Sapeva che per convincere il re di essere un vero marchese
il suo padrone avrebbe dovuto possedere
una dimora decente.

Cosí, mentre la carrozza si dirigeva
a palazzo, si allontanò
in direzione opposta,
verso la tenuta
dell'Orco Mozzaossa.

Attraversando i campi dell'Orco,
il gatto si fermava dai contadini
che lavoravano la terra e diceva:
«Queste terre non appartengono piú
all'Orco Mozzaossa.
Da oggi sono del **marchese di Carabas**.
Presto il re verrà a fargli visita.
E voi dovete dirgli che queste terre sono del marchese,
altrimenti sarete **fatti a pezzettini!**
È CHIARO?»

I contadini, **spaventati dalla minaccia**,
si impressero bene nella mente
il nome del marchese di Carabas.

POI il gatto arrivò
al castello dell'**Orco,**
bussò alla porta
e l'Orco in persona
venne ad aprire.

TOC TOC TOC

Mozzaossa
era una delle creature piú brutte
che possiate immaginare:
era una specie
di **gigante**,
alto
piú di due metri,
con **grosse gengive**
e **denti a punta**,
il **naso schiacciato**
e **sopracciglia**
sette volte
piú spesse e irsute
di quelle di qualunque uomo.

«CHE VUOI?»

disse torvo al gatto.
«Dovendo passare vicino alle vostre terre» risposte il gatto «non ho potuto fare a meno di **venire a rendervi i miei omaggi**.»

L'**Orco**, che non riceveva mai visite da nessuno per il suo **terribile carattere**, rimase sorpreso dalla novità e, tanto per passare il tempo, decise di far entrare lo strano animale e sentire se aveva **qualche storia divertente** da raccontargli. Se si fosse annoiato avrebbe sempre potuto **mangiarselo e toglierlo di mezzo.**

«Ho sentito molto parlare di voi e delle vostre magie»
disse il gatto
«anche se, a dire il vero,
mi sembra impossibile quel che si dice.»

«E CHE SI DICE?»
chiese l'**Orco** con una specie di grugnito,
mentre si passava tra i denti un ossicino lungo e sottile.

«Oh, sciocchezze...
mi vien quasi da ridere»
disse il gatto.
«Ecco... qualcuno sostiene
che siete capace di trasformarvi
in **bestia feroce**.»

«PER MILLE OSSA MOZZATE, HA RAGIONE!»
tuonò l'**Orco**, battendo la grossa mano sul tavolo.
E per dare prova dei suoi poteri si mutò in un **leone**
che **aprí le fauci** con un **feroce ruggito**.

«**FANTASTICO!**»

disse il gatto, che **sudava freddo dalla paura**, ma non voleva far vedere di essere impressionato.

«Però non c'è grande sforzo»
aggiunse.
«Grosso voi, GROSSO IL LEONE!
Sarebbe diverso se vi foste mutato
in qualche animaletto minuscolo,
che so... **un topolino!**
Quella sí che sarebbe una
VERA TRASFORMAZIONE!»

«E ALLORA GUARDA!»
sbraitò l'Orco.

UN ATTIMO DOPO,
sulla sedia,
al posto dell'**Orco**
comparve **un topolino**.
Il gatto non aspettava altro.
Con un balzo
gli fu addosso
e **se lo mangiò**.
Poi, soddisfatto,
si guardò attorno
e fece **un sorriso da gatto**.

IL GIORNO SEGUENTE
tornò alla reggia
e disse al suo padrone
di accompagnare
il re e la principessa
a visitare le sue tenute
e il suo castello.

Vedendo passare la carrozza reale, **i contadini** che stavano lavorando nei campi **si ricordarono le parole del gatto.**
Svelti si misero a sventolare i cappelli in segno di saluto e gridarono:
«Benvenuti nelle terre del marchese di Carabas!»

Il re, che ormai pensava al marchese come a un probabile sposo per la principessa, fu compiaciuto di scoprire che **il suo futuro genero era un uomo tanto ricco**.

Il gatto fece strada al re nel castello
che un tempo era stato dell'**Orco**.
«Marchese»
esclamò il re, ammirando
le sale riccamente arredate
«siete un uomo davvero fortunato!»

A QUEL PUNTO
il giovane si fece coraggio
e **chiese la mano della principessa.**
Il re fu ben lieto di acconsentire
alle nozze e, dopo meno di un mese,
i due giovani si sposarono.

Il gatto andò a vivere al castello col suo padrone e fece una vita,
o meglio, **sette vite, da gran signore!**

La Gatta Bianca

C'ERA UNA VOLTA UN RE CHE AVEVA TRE FIGLI. TUTTI E TRE ERANO GIOVANI, FORTI E CORAGGIOSI.

Il sovrano non aveva ancora deciso a quale figlio lasciare in eredità il trono e quindi pensò di sottoporre i tre principi a una prova. **«Figli miei, presto sarò troppo vecchio per continuare a occuparmi del regno»** disse.

«Toccherà a uno di voi prendere il mio posto.
Chi mi porterà il **cane** piú **grazioso** e **fedele**, **diventerà re.**
Per cercarlo vi do **un anno di tempo** a partire da adesso.»

DOPODICHÉ il re consegnò ai figli il denaro sufficiente per mettersi in viaggio e li salutò.

«Io andrò a nord»
disse il **primo** fratello,
e partí al galoppo
sul suo **destriero bianco**.

«Io andrò a sud»
disse il **secondo** fratello,
e si mise in viaggio
su una carrozza trainata
da sei bellissimi **cavalli neri**.

«Io andrò dove mi guida l'istinto»
disse il **terzo**,
e si diresse **a piedi** verso il paese vicino.

E a piedi...
non vi dico i cani che incontrò per strada!
Biondi, bruni, rossicci,
dal pelo riccio, dal pelo corto,
sporchi, arrabbiati, senza coda,
col muso a punta, col muso schiacciato,
con le zampe corte, con le zampe lunghe...

«Quale sarà **il piú affettuoso?**
Quale sarà **il piú fedele?**»
si chiedeva il principe,
senza sapersi decidere.

PER GIORNI E GIORNI
il ragazzo vagò inutilmente da un paese all'altro
in cerca del cane da donare a suo padre.

UNA SERA in cui pioveva a catinelle, vide una luce provenire da un castello su una collina.
«Andrò a chiedere ospitalità per la notte» si disse il principe.
Giunto davanti al castello, rimase a bocca aperta: il portone era tempestato di **pietre preziose**, i muri erano di **cristallo trasparente**, le finestre avevano tendaggi **ricamati con fili d'oro**, e sulle pareti erano dipinte scene tratte dalle fiabe piú famose.

Il giovane bussò e **UN ATTIMO DOPO** si ritrovò all'interno di un **immenso salone**, illuminato da grandi candelabri.

Nell'aria volteggiavano
una dozzina di mani guantate,
che lo spinsero verso una stanza
e subito lo spogliarono degli abiti inzuppati,
lo lavarono, lo asciugarono, lo profumarono
e lo pettinarono per bene.
Poi lo rivestirono e lo condussero in una sala da pranzo
dove **una decina di gatti** suonava diversi strumenti musicali
su un palchetto da orchestra.

Seduta a una tavola
riccamente apparecchiata,
c'era **una gattina bianca**
con una coroncina
in testa.

«Benvenuto
nella mia dimora»
disse la gattina al principe.

«Siediti accanto a me
e sii mio ospite.»

«Ma... tu parli?» chiese **il giovane**, che non finiva di stupirsi.

«È una lunga storia. . .»

risposte **la gatta,** con un sospiro triste. «Ma non voglio annoiarti raccontandotela. Dimmi di te, piuttosto. Io ti conosco, sei un principe. Come mai te ne vai in giro con questo tempaccio?»

«**Ecco, vedi...**» prese a dire il ragazzo, e in breve **le raccontò ogni cosa.**

«Credo di poterti aiutare»
disse **la gatta**, alla fine del racconto. «Ma mancano ancora parecchie settimane alla fine dell'anno concesso da vostro padre.
Che ne diresti di restare nel mio castello sino ad allora?»

Il principe, che trovava molto simpatica la sua ospite, **accettò**.

DURANTE LE SETTIMANE in cui rimase al castello, scoprí che la gatta era **intelligente**, **colta**, **affettuosa** e anche molto **generosa**.

VENNE IL GIORNO della partenza
e la padrona di casa consegnò
al principe **una ghianda**.
*«Apri questa ghianda
al momento di consegnare
il cane al re»* disse.
«**Ti ringrazio, gattina**» rispose il giovane.
«Non fosse per l'impegno preso
con mio padre, resterei ancora qui.
**Sono stato benissimo con te
e spero di rivederti.**»

QUANDO ARRIVÒ al castello, il ragazzo abbracciò il padre e i fratelli. I cani degli altri due principi stavano già scodinzolando ai piedi del re. **Il principe allora prese la ghianda dalla tasca e l'aprí.**

Dal guscio saltò fuori **un minuscolo cucciolo** di cane dagli occhi **teneri** e **allegri**. Era un cane **cosí piccolo** che poteva stare seduto sul **palmo di una mano**.

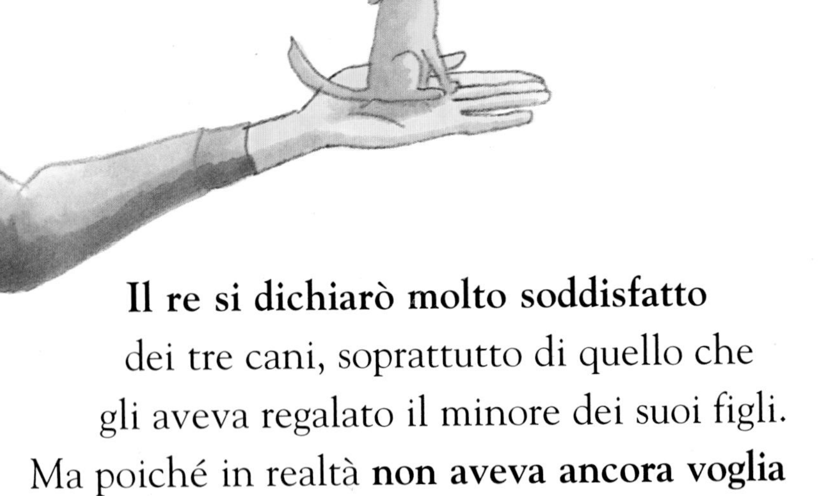

Il re si dichiarò molto soddisfatto dei tre cani, soprattutto di quello che gli aveva regalato il minore dei suoi figli. Ma poiché in realtà **non aveva ancora voglia di cedere il trono**, decise di rimandare all'anno successivo la sua scelta, e chiese ai figli di andare a cercare una **pezza di tela** tanto sottile da passare attraverso la **cruna di un ago**.

«Io andrò a nord» disse il **primo** fratello
e partí al galoppo sul suo **destriero bianco**.

«Io andrò a sud»
disse il **secondo** fratello
e si mise in viaggio su una carrozza trainata
da sei bellissimi **cavalli neri**.

«Io andrò dove mi guida l'istinto»
disse il **terzo**.
Ma in realtà aveva in mente
di **tornare** immediatamente
dalla sua amica gatta.

QUANDO la gatta lo vide
fu felice di ospitarlo e gli disse
che **anche questa volta** avrebbe
procurato lei **il dono** per suo padre.

L'ANNO PASSÒ
e il giorno della partenza la gatta consegnò al principe **una noce**.
«Quasi rimpiango di non essere gatto...» esclamò il giovane
al momento di salutare la sua amica.
Poi prese la noce e **tornò al castello di suo padre.**

Il re lodò le stoffe fini dei due fratelli maggiori, ma rimase letteralmente **estasiato** di fronte a quella che il figlio minore estrasse dal guscio di noce: **una tela con un meraviglioso dipinto** di paesaggio marino, illuminato dalle stelle e dalla luna. E la tela era **tanto sottile** da passare attraverso **la cruna di un ago**.

Il re, tuttavia, volle prendersi **UN ALTRO ANNO DI TEMPO.**

«**Questa sarà l'ultima prova**» disse. «Andate in cerca della vostra futura sposa e portatela al castello tra un anno. **Chi avrà trovato la fanciulla migliore, diventerà re.**»

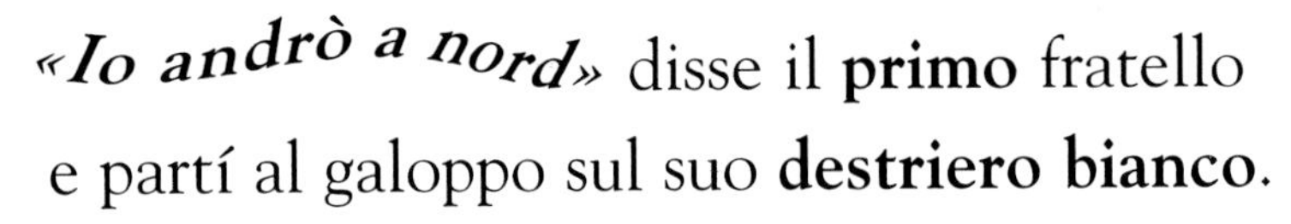

«Io andrò a nord» disse il **primo** fratello
e partí al galoppo sul suo **destriero bianco**.

«Io andrò a sud» disse
il **secondo** fratello e si mise
in viaggio su una carrozza
trainata da sei bellissimi
cavalli neri.

«Io andrò dove mi guida l'istinto»
disse il **terzo**. E anche questa volta
tornò al castello della gatta.

«Questa volta dovrò tornare da mio padre con la fanciulla che sposerò» spiegò il principe, dopo aver salutato l'amica. **La gatta** rimase pensierosa per tutto il giorno.

LA SERA, poi, andò dal giovane e gli disse che voleva **raccontargli la sua storia.**

Si sedettero su un divano accanto al camino e la gattina iniziò il suo racconto.

«Devi sapere che non sono sempre stata una gatta. . .» disse.
«Mio padre e mia madre erano i sovrani di sei regni. Durante un viaggio passarono vicino a un antico castello di fate. Mia madre fu presa dal desiderio irresistibile di assaggiare i frutti di una pianta che cresceva nel loro giardino.

Quel desiderio le costò molto caro!
Le fate in cambio vollero **il primo figlio** che i miei genitori avrebbero avuto.

Quando nacqui perciò fui ceduta alle fate.
Mi allevarono nel loro castello e, all'età di diciott'anni, mi promisero **in moglie** a un loro amico, **un mostro** che viaggiava a cavallo di un drago, che aveva **orecchie d'asino, zampe d'aquila** e una **barba lunga sino a terra.**
Ma io dissi che non lo avrei mai sposato.

Il mostro
se ne tornò
indispettito
al suo regno
e le fate
per punirmi
mi trasformarono
in gatta.

*Il resto non posso
ancora dirtelo . . . »*

QUELLA SERA
il principe andò
a dormire **col cuore
gonfio di tristezza.**
Se avesse
potuto **liberare
la principessa
dall'incantesimo!**
Sarebbe stata lei
la moglie ideale.
L'avrebbe sposata,
anche se non fosse
stata bella,
anche a costo
di perdere il trono...

PASSARONO I MESI

e il giorno della partenza **la gatta** diede al principe una spada affilata.

«*Ora devi fare tu una cosa per me*» disse.

«*Tagliami la testa con questa spada.*»

«**Cosa ti salta in mente?**» chiese il giovane, sconvolto.

«**Non farò mai una cosa del genere!**»

«*Se mi vuoi almeno un poco di bene, se sei mio amico, lo devi fare. Tu e nessun altro...*»

Il principe non ne voleva sapere, ma la gatta lo supplicò a tal punto che alla fine, con gli occhi pieni di lacrime, alzò la spada e **tagliò la testa all'amica.**

IMMEDIATAMENTE
il corpo della gatta prese
a crescere e a trasformarsi
e…
POCHI ATTIMI DOPO
di fronte al giovane c'era
una fanciulla bellissima,
dagli occhi luminosi
come due stelle.

NEL FRATTEMPO
anche **i gatti**
del castello ripresero
le loro **sembianze umane**.
Il principe rimase
senza parole.

«Ed ecco la fine della mia storia»
disse la principessa.
«L'incantesimo delle fate
sarebbe stato sciolto da un principe
che mi avesse amata e mi avesse uccisa
nella mia forma di gatta.»

Allora **il giovane** si inginocchiò
davanti alla fanciulla e le chiese
di **diventare sua sposa.**
La principessa accettò.
Poi fece preparare
un cocchio dorato
e vi salí insieme al principe.

Arrivati al castello del re,
il giovane scese dal cocchio,
abbracciò il **padre** e i **fratelli**,
s'inchinò e baciò la mano
alle due fanciulle che sarebbero
diventate sue **cognate**, poi aprí
la porta del cocchio e disse
alla sua **futura sposa** di scendere.

La principessa indossava un abito **bianco** e **rosa,** vaporoso come una nuvola e sul capo aveva una **corona di pietre luminose**. Il suo volto, il suo portamento e la sua voce incantarono i presenti.

«Sei sicuramente tu quello che prenderà il mio posto»
disse il re al figlio minore.

«Permettete che v'interrompa, sire»

disse la principessa.

«Credo che voi possiate continuare a regnare ancora a lungo.

Vedete, io possiedo sei regni.

Ne dono uno a voi, uno al vostro figlio maggiore e uno al secondo.

Per noi ne restano tre

e sono piú che sufficienti!»

Insomma erano tutti felici:
il re, i principi, le future mogli dei principi.

QUELL'ANNO
ci furono **tre matrimoni**
e per settimane a corte non si fece
che mangiare, ballare, divertirsi
e conoscere gente nuova…

Il Gatto Mammone

C'ERA UNA VOLTA UNA DONNA CHE AVEVA DUE BAMBINE. UNA SI CHIAMAVA LINA ED ERA PIGRA, BRUTTINA E POCO GENEROSA. L'ALTRA SI CHIAMAVA LENA ED ERA BUONA DI CUORE, PAZIENTE E MOLTO GRAZIOSA.

Stranamente **la madre** aveva una forte predilezione per **Lina** e spesso, ingiustamente, sgridava e puniva **Lena** per colpe che non aveva commesso.

IL TEMPO PASSÒ
e le due bambine crebbero.
Lena, nonostante dovesse
lavare, cucinare, stirare e pulire
la casa, era sempre **allegra e sorridente**.
Lina, al contrario,
pur passando nell'ozio le sue giornate,
era sempre di **cattivo umore**.

UN GIORNO la madre **ordinò a Lena**
di andare alla fontana a lavare due ceste di panni.
«**Eccoti un pezzo di sapone**» disse la donna.
«**E vedi di non sprecarlo, il sapone non ce lo regala nessuno!**»

Lena arrivò alla fontana, raccolse i capelli sulla nuca, poi prese il sapone dalla tasca e **iniziò a lavare i panni.** Mentre insaponava la biancheria, **si mise a cantare,** come faceva sempre.

A UN TRATTO, però, ***il sapone le scivolò*** dalle mani e cadde in fondo alla fontana.

Lena cercò di riprenderlo,
ma ogni tentativo fu inutile.
La fontana era profonda
e il sapone sembrava sparito.
«Come faccio adesso?»
si chiese preoccupata
la povera ragazza.
«Se torno a casa coi panni
sporchi e senza sapone,
la mamma mi punirà...»

E mentre pensava alla madre,
una grossa lacrima
le scese sul viso e rotolò per terra.

PROPRIO IN QUEL MOMENTO
passava da quelle parti **una vecchierella dallo sguardo dolce**,
che vedendola piangere si fermò a domandare cosa fosse accaduto.

«Dovevo lavare tutti questi panni»
spiegò Lena all'anziana signora
«ma il sapone è caduto nella
fontana e non riesco a riprenderlo.
Mia madre sarà furiosa con me.
Non me la sento di tornare a casa
e sentire un'altra volta
le sue sgridate.»

«Ascoltami»
le disse **la vecchia**.
«Non è successo niente di grave.
Ora ti indicherò la strada
per arrivare al palazzo del Gatto Mammone.
Non è lontano da qui. Bussa e chiedi un altro pezzo di sapone.
Vedrai che te lo daranno...»

Lena ascoltò le indicazioni della donna,
poi si diresse al palazzo
del Gatto Mammone.
Arrivata davanti al portone, bussò
e pochi istanti dopo venne ad aprirle
un **bellissimo gatto**
dal **pelo bianco**
e dagli **occhi verdi**
come smeraldi.
«Cosa posso fare per te?»
chiese il gatto alla ragazza.
«Vorrei parlare con il Gatto Mammone»
rispose Lena. «Devo chiedergli una cosa.»
«Che cosa devi domandargli?» volle sapere il gatto bianco.
«Ecco... io avrei bisogno di un nuovo pezzo di sapone...
Una vecchina gentile mi ha detto che il Gatto Mammone
potrebbe darmelo. Il mio è caduto dentro la fontana e prima di sera
devo finire di lavare una montagna di panni,
se no a casa saranno guai...»
«Va bene, seguimi»
disse **il gatto bianco**,
facendola entrare nel palazzo.
«Vado ad avvisare il Gatto
Mammone. Appena sarà libero
ti porterò da lui. Tu puoi
aspettarmi in quel salone laggiú.»
Il gatto bianco si allontanò
lungo un corridoio.

Rimasta sola, **Lena** iniziò a gironzolare per il palazzo.
In una stanza vide un gattino che si dava da fare per spazzare il pavimento. **La scopa era grande** e il micetto faceva davvero tanta fatica a trascinarla sul pavimento.

«**Lascia fare a me**» disse **Lena**, prese la scopa dalle zampette del gatto e **spazzò tutto il pavimento.**

Quando ebbe finito entrò in **un'altra stanza** e questa volta vide un gatto che spolverava. Cercava di raggiungere anche i mobili piú alti ma, nonostante i suoi salti e i suoi sforzi, non riusciva a pulire come si deve.
Lena sorrise, prese lo spolverino e **spolverò ogni cosa.**

Nella **terza stanza** un altro gatto si stava affannando per rifare i letti. «**Se ti aiuto io, finiremo prima**» disse Lena. E in **quattro e quattr'otto** rifece i letti. Finalmente il gatto bianco venne a chiamarla.

Il Gatto Mammone
era pronto a riceverla.

Lena seguí il gatto bianco per il lungo corridoio e arrivò in un salone ancora piú grande del primo. Lí, seduto su una poltrona, c'era un gatto **grosso grosso**, con il pelo lungo e lucido e due **occhi buoni e dolci**, come gli occhi di una mamma.

Era il Gatto Mammone.

«Vieni, Lena»
le disse il Gatto Mammone.
«Ho saputo che hai perso il tuo pezzo di sapone e che ne vorresti un altro da me per il bucato.»

«Le sarei infinitamente grata se potesse darmene un altro.
Mia madre non mi perdonerebbe se le dicessi che ho perso il mio.»

Il Gatto Mammone
allora mandò a chiamare i gatti
che Lena aveva aiutato
nelle faccende di casa
e domandò loro se Lena meritava
il pezzo di sapone.

«Oh, sí!» disse
il primo gattino.
«Mi ha aiutato a scopare
tutto il pavimento!»

«Oh, sí!» disse
il secondo gattino.
«Mi ha aiutato a spolverare
ogni cosa nella stanza!»

«Oh, sí!» disse **il terzo gattino**.
«Mi ha aiutato a rifare i letti!»

«Sei stata buona»
disse il Gatto Mammone. «Eccoti un altro pezzo di sapone.
Ancora una cosa. Quando sarai alla fontana e
sentirai cantare il gallo, voltati.
Ma fa' bene attenzione
a non voltarti per nessun motivo
se sentirai ragliare un somaro!»

E con questo misterioso
avvertimento,
il Gatto Mammone
la salutò.

Lena tornò alla fontana e si mise a lavare.
D'un tratto **udí un somaro che ragliava** forte.
Ricordando le parole del **Gatto Mammone,** la ragazza **non si voltò.**

POCHI MINUTI DOPO,
udí cantare un gallo.
Si voltò a guardare,
e in quell'attimo
sulla fronte le apparve
una **stella d'oro**
che le illuminava il viso.

Lena finí il suo lavoro e *corse a casa.*

Appena **la madre** la vide con la stella d'oro
in fronte, **fu presa da un'invidia feroce**
e la obbligò a dirle cos'era successo.
Lena, che non sapeva mentire,
raccontò tutto per filo
e per segno.

IL GIORNO DOPO
la madre decise di **mandare Lina**
alla fontana, affinché anche a lei toccasse
la stessa sorte che era toccata alla sorella.
Lina fece ***scivolare il sapone nell'acqua***
e poi finse un pianto disperato.

Anche questa volta passò
da quelle parti **la buona vecchina**,
che, ascoltato il racconto
di Lina, le consigliò di andare
a chiedere dell'altro sapone
al **Gatto Mammone**.

Lina arrivò al palazzo, bussò
e spiegò ogni cosa al **gatto bianco**
che la fece entrare e le disse
di attendere.

Annoiata, la ragazza si mise
a gironzolare per il palazzo,
entrò nella **prima stanza**
e incontrò il primo gattino,
quello che scopava.
Ma invece di aiutarlo
scoppiò a ridere.
«**Che scena ridicola**» disse.
«Un gattino con una scopa.»

POI entrò nella **seconda stanza**
e vide il gatto che spolverava.
«Potresti essere tanto gentile
da darmi una mano a pulire
in alto, dove io non arrivo?»
le chiese il gattino.

«Scordatelo!»
rispose seccata la ragazza.
«Ma per chi mi hai preso?
Non sono la tua serva!»

Lina arrivò infine
nella **terza stanza.**
«Puoi tirare un pochino le coperte
dalla tua parte?» disse il gatto.
«Mi sembra che pendano
un po' troppo da questo lato...»
«Oh, ma certo!» disse Lina.
E diede un tale strattone
che **disfece tutto il letto.**

«**Guarda che hai fatto!**» la rimproverò il gatto.
«**Ti sta bene**» disse Lina «cosí impari a infastidire le persone.»

IN QUELL'ATTIMO arrivò **il gatto bianco** e le disse di seguirlo.

Quando fu davanti al **Gatto Mammone**,
la ragazza raccontò tutta la storia e chiese un pezzo di sapone.

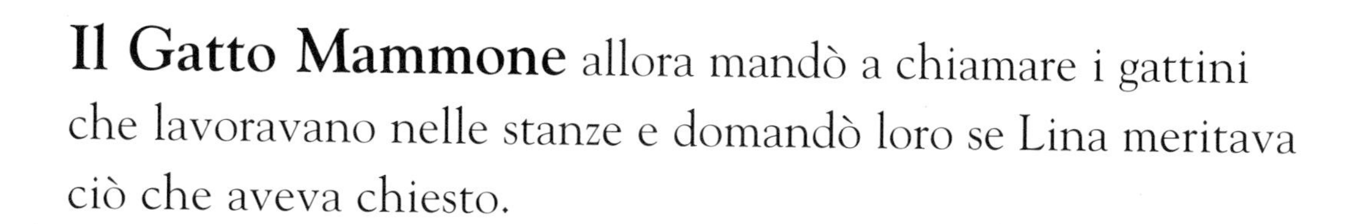

Il Gatto Mammone allora mandò a chiamare i gattini che lavoravano nelle stanze e domandò loro se Lina meritava ciò che aveva chiesto.

«Oh, no!»
disse **il primo gattino**.
«Mi ha preso in giro,
invece di aiutarmi!»

«Oh, no!»
disse **il secondo gattino**.
«Mi ha risposto
sgarbatamente,
invece di aiutarmi!»

«Oh, no!»
disse il **terzo gattino**. «Mi ha fatto
un dispetto, invece di aiutarmi!»

«Va bene, ti do comunque il sapone
che mi hai chiesto»

disse il Gatto Mammone.

«Ora torna alla fontana
a lavare i panni.
Quando sentirai
ragliare
un somaro,
voltati
a guardare.»

Lina andò alla fontana
e si mise ad aspettare.

APPENA

udí il somaro ragliare, si girò e…
… in fronte le spuntò

un ciuffo di coda di somaro!

Non vi dico **la rabbia della madre** quando vide la figlia prediletta tornare a casa conciata in quel modo.

«È tutta colpa sua!»
disse **Lina**, indicando la sorella.

La madre, allora, furibonda,
cominciò a picchiare **Lena**.
E gliene diede tante
che la ragazza
urlò dal dolore.

PROPRIO IN QUEL MOMENTO
vicino alla casa stava passando la carrozza del figlio del re.
Il principe, udendo quelle grida, **scese dalla carrozza**
e andò a vedere cosa stava succedendo.

Lena, tra le lacrime,
gli raccontò ogni cosa
e il giovane, commosso,
decise di portare
la fanciulla con sé
a palazzo.

Il principe s'innamorò subito di Lena,
non solo per la sua **bellezza**,
ma anche e soprattutto
per la **bontà** e il **carattere allegro**.

DOPO QUALCHE GIORNO,
le chiese se voleva **diventare sua moglie**.
La ragazza, che a sua volta si era innamorata, **fu felicissima** di accettare.

Il principe avrebbe voluto
che la **madre** e la **sorella**
della sua futura moglie
ricevessero
una punizione esemplare,
ma Lena
lo supplicò
di perdonarle:
erano la sua famiglia
e, nonostante
le pene patite,
Lena non riusciva
a odiarle.

Il figlio del re allora ordinò
che **le due donne** venissero
allontanate dal paese
e nessuno le rivide piú.

Ci furono le nozze
e tutto andò
a meraviglia.

Però sapete cosa mi sembra strano in questa fiaba?

Mi sembra strano che il principe sia passato sotto alle finestre di Lena proprio quando c'era bisogno di lui.

Sí... magari è stato un caso.

Eppure, sbaglierò, ma secondo me ci ha messo **lo zampino**... un certo **Gatto Mammone!**